C0-AVZ-119

Renata Piątkowska
Zbój
opowiadania o koniach i konikach

LITERATURA

opowiadania o koniach i konikach

ilustracje: Mikołaj Kamler

Renata Piątkowska
Zbój. Opowiadania o koniach i konikach

© by Renata Piątkowska
© by Wydawnictwo Literatura

Okładka i ilustracje:
Mikołaj Kamler

Korekta i skład:
Lidia Kowalczyk, Joanna Pijewska

Wydanie I

ISBN 978-83-7672-171-2

Wydawnictwo **Literatura**, Łódź 2012
91-334 Łódź, ul. Srebrna 41
handlowy@wyd-literatura.com.pl
tel. (42) 630-23-81
faks (42) 632-30-24
www.wyd-literatura.com.pl

Druk i oprawa: Rzeszowskie Zakłady Graficzna S.A.

R06021 85991

DUKAT

U dziadka w pachnącej sianem stajni stał Dukat. Wielki, czarny jak węgiel i silny jak smok. Koń o grubej szyi i ciężkiej głowie, z falującą grzywą i ogonem sięgającym ziemi. Podobno najładniejszy w całej wsi, ale ja podejrzewam, że najpiękniejszy na całym świecie. Dukat albo pomagał dziadkowi w polu, albo pasł się na łące za domem. A wieczorem szedł sobie spacerkiem do rzeki. Nigdy nie widziałem, żeby się kąpał, ale lubił postać chwilę w wodzie, a potem pił i parskał, a czasami nawet sikał. Drogę nad rzekę Dukat znał chyba na pamięć, bo chodził tam zupełnie sam i nigdy się nie zgubił.

Tak długo prosiłem i nalegałem, aż dziadek pozwolił mi w końcu dosiąść Dukata. Musiałem mocno trzymać się grzywy i dociskać kolana do boków konia. Czułem się tak, jakbym siedział na wielkiej, aksamitnej kanapie. Kanapie, która lekko się kołysze, a niekiedy przyspiesza i podskakuje. Trochę się bałem i bolała mnie pupa, ale za nic na świecie bym się do tego nie przyznał. Dziadek uważał, że bardzo dobrze sobie radzę i po pewnym czasie pozwolił mi jeździć na Dukacie nad rzekę i z powrotem. Byłem dumny jak paw. Przez całą drogę rozmawiałem z Dukacikiem, mówiłem mu, że go bardzo lubię i prosiłem, żeby nie wierzgał. On w odpowiedzi kiwał głową i od czasu do czasu parskał. Oczywiście cały czas rozglądałem się, czy gdzieś w pobliżu nie ma chłopaków z sąsiedztwa. Ach, jakie oni mieli miny, gdy widzieli mnie na grzbiecie wielkiego jak góra konia! Wytrzeszczali oczy, a niektórzy nawet otwierali buzie. Zazdrościli mi, wszyscy, co do jednego. W końcu największy z nich, Witek Gil, nie wytrzymał i zawołał:

– Ten twój koń ma zakuty łeb! Potrafi dojść tylko do rzeki i z powrotem! Ani kroku dalej! Co za głąb!

– Sam jesteś głąb! – odpaliłem.

Chłopcy śmiali się głupkowato i biegli za nami, a ja głaskałem Dukacika po szyi i mówiłem, żeby sobie z tego nic nie robił. Potem, już nad rzeką, Witek zaproponował:

– Załóżmy się, który z nas pierwszy objedzie dokoła placyk przed kościołem, ty na koniu czy ja na skuterze. Kto przegra, płaci dychę.

– Zgoda – powiedziałem, no bo niby co innego mogłem zrobić.

W myślach pożegnałem się z moim kieszonkowym, wiedziałem przecież, że nic nie zmusi Dukata, by zamiast nad rzekę, ruszył do wsi i biegał po jakimś rynku. Mogłem jedynie mieć nadzieję, że Witek też się tam nie pojawi, bo cały ten zakichany skuter wcale nie należał do niego, tylko do jego brata. Brat zabronił Witkowi kręcić się koło skutera, ale gdy tylko wychodził do pracy, ten wskakiwał na siodełko, łapał za kierownicę i mrucząc pod nosem: „Brym, brym, brym", udawał, że jedzie. Może, jak nikt nie widział, trenował na podwórku, kto go tam wie. Ja też próbowałem przekonać Dukata, żeby choć raz zmienił trasę. Prosiłem, tłumaczyłem, dawałem kostki cukru, suchy chleb i marchewkę – wszystko na nic. Dziadek pouczał:

– Jeśli chcesz, żeby koń skręcił w prawo, to musisz docisnąć mu łydkę do prawego boku i lekko pociągnąć wodze. Jeśli ma iść w lewo, to przyłóż łydkę z lewej strony – to proste.

No więc naciskałem raz prawą nogą, raz lewą, w końcu obiema naraz, a Dukat i tak szedł prosto nad rzekę. Miałem nawet wrażenie, że śmiał się cicho pod nosem.

– Nic się nie martw, wnusiu – pocieszał mnie dziadek – jeszcze się nauczysz. Będziesz większy i silniejszy, to dasz sobie z nim radę. Potem już każde lato spędzisz w siodle, zobaczysz, że tak będzie. – Dziadek przytulił na chwilę czoło do wielkiej końskiej głowy i powtórzył swoje ulubione powiedzonko: – Bo widzisz, Marcinku, bez konia można żyć, tylko po co?

Nie wiem, jak tam szło Witkowi ze skuterem, ale ja bez powodzenia zaklinałem Dukata każdego dnia, by pojechał ze mną do wsi. Niby słuchał, strzygł uszami i kiwał głową, ale ani o krok nie zboczył ze swojej ścieżki. I choć machałem wszystkimi nogami i rękami, a nawet, chociaż dziadek tego nie pochwalał, uderzałem go trochę piętami po bokach, to i tak lądowaliśmy zawsze nad wodą.

W końcu nadszedł ostatni dzień wakacji i musiałem wracać do domu. Po południu raz jeszcze zamiotłem stajnię, nałożyłem siana do żłobu i pomogłem dziadkowi wyczyścić Dukata. Żeby było sprawiedliwie, on zajął się końskim grzbietem i szyją, a ja szczotkowałem brzuch, aż zrobił się czyściutki i jedwabisty.

– Tak właśnie ma być – pochwalił mnie dziadek. – Pamiętaj, Marcinku, że to wstyd jechać na brudnym koniu – dodał i wyprowadził Dukata przed stajnię.

Potem, gdy siedziałem na końskim grzbiecie, poklepał Dukata i powiedział:

– No, to idźcie i nie marudźcie długo nad wodą, bo za chwilę przyjadą po ciebie rodzice.

Ruszyliśmy wolno dobrze znaną ścieżką. Tym razem nawet nie wspomniałem o Witku i naszym zakładzie. Nie żeby mi już nie zależało na wygranej, ale to był nasz ostatni spacer i nie chciałem się z Dukatem kłócić. W milczeniu dojechaliśmy do krzyżówki. W tym miejscu koń powinien skręcić w prawo, w stronę rzeki. Jednak ku mojemu zdziwieniu nie skręcił. Szedł dalej, prosto przed siebie, w kierunku

wsi. Po chwili, choć wcale nie dociskałem go łydkami, przyspieszył. Wydeptana ścieżka zamieniła się w wyboistą drogę. Kopyta stukały o kamienie, a na poboczach pojawiły się sady, domy i sklepiki. W końcu wyrósł przed nami kościół. Na wieży widać było krzyż i zegar. Dochodziła szósta, gdy Dukat wkroczył na plac przed kościołem. Zatrzymał się na chwilę, a potem ruszył z kopyta. Przywarłem do niego całym ciałem. Tak jak uczył mnie dziadek, docisnąłem kolana i chwyciłem się grzywy. Byliśmy w połowie okrążenia, kiedy nadleciał Witek z chłopakami. Jak zwykle włóczyli się po wsi, więc nie mogli nie zauważyć, że wielki jak góra i czarny jak węgiel koń pędzi przez plac na łeb na szyję. Od samego łoskotu kopyt o bruk drżały szyby w oknach. Kiedy przelatywałem koło nich, chłopcy stali z otwartymi ustami, a ja byłem najszczęśliwszy na świecie. Gdy zatoczyliśmy koło, Dukat zwolnił i jakby nigdy nic ruszył w drogę powrotną. Znowu mijaliśmy sklepiki, domy i sady, a kopyta stukały o kamienie. Tym razem na krzyżówce skręcił w dobrze znaną ścieżkę prowadzącą nad rzekę. I podczas gdy ja siedziałem ciągle jeszcze spięty i wczepiony w jego grzywę, Dukat brodził w wodzie, pił i na dodatek sikał. Kiedy wróciliśmy do domu, Witek już na mnie czekał.

– Ale dałeś czadu. – Pokiwał z uznaniem głową. – Nie wierzyłem, że ci się uda. Zasuwał jak rakieta – pochwalił Dukata i wcisnął mi do ręki zmięte dziesięć złotych. – Za rok się odegram! – zawołał jeszcze i tyle go widziałem.

Nie wiem, i pewnie nigdy się nie dowiem, dlaczego Dukat zamiast jak zwykle pójść nad rzekę, zawiózł mnie do wsi. I skąd wiedział, że abym wygrał zakład, musimy okrążyć plac przed kościołem. Wiem tylko, że zrobił to dla mnie i że kocham go prawie tak samo jak dziadka. Na pożegnanie wycałowałem ich obu, a Dukacika jeszcze dodatkowo poklepałem po głowie i szepnąłem mu do ucha, że nie zamieniłbym go nawet na sto najnowszych skuterów. Choćby były czerwone, miały klaksony i błyszczące lusterka.

– Pewnie, przecież największe szczęście na świecie na końskim siedzi grzbiecie – usłyszałem i do dziś nie wiem, czy powiedział to dziadek, czy Dukat.

Maciejka

Na wysypanej żółtym piaskiem, wielkiej ujeżdżalni, którą znawcy przedmiotu nazywają parkurem, ustawiono kolorowe przeszkody. Zawodnicy w czerwonych fraczkach i błyszczących czarnych oficerkach poklepywali parskające niespokojnie konie. Wreszcie nadeszli sędziowie, zrobili bardzo ważne miny, podkręcili wąsy i zasiedli na swoich miejscach. Na trybunach, które ledwie mogły pomieścić wszystkich widzów, ucichły śmiechy i nawoływania. Jednym słowem, rozpoczęły się zawody jeździeckie. Na dźwięk dzwonka do konkursu stanął pierwszy zawodnik. Jego koń był czarny jak smoła, tylko na czole miał małą, białą gwiazdkę, jakby ktoś dotknął go umazanym w śmietanie palcem. Motyl, bo tak nazywało się to czarne cudo, odczekał, aż zawodnik ukłoni się sędziom, i ruszył galopem, sypiąc piaskiem spod kopyt. Przez kolejne przeszkody przeskakiwał lekko, jakby od niechcenia. Jednak rów z wodą wyraźnie go zdenerwował. Szarpnął głową, a z pyska poleciała mu piana. Gdyby to od niego zależało, uciekłby od tego okropnego rowu gdzie pieprz rośnie. Ale jeździec nie dał mu wyboru. Mocno siedział w siodle i pewną ręką prowadził konia na przeszkodę, szepcząc mu do ucha słowa otuchy. Wreszcie Motyl zadarł do góry ogon, zastrzygł uszami i skoczył. Przez krótką chwilę mógł podziwiać w wodzie odbicie swego brzucha. Ten widok chyba mu się spodobał, bo gdy przesadził rów, wyraźnie się uspokoił i udowodnił, że pozostałe przeszkody to dla niego bułka z masłem, a może raczej suchy chleb z marchewką. Kiedy przeleciał nad ostatnią stacjonatą, z trybun rozległy się oklaski. Zuzia oglądała zawody razem z mamą i też klaskała z zapałem, a nawet podskakiwała w miejscu i wołała:

– Brawo, Motylku! Brawo!

– Podobało ci się, prawda? Nic dziwnego, przejechał w bardzo dobrym tempie i bez ani jednej zrzutki – stwierdziła mama, która na koniach zna się jak nikt.

– Motylek to najsłodszy i najmądrzejszy konik na świecie – powiedziała Zuzia i pokiwała z przekonaniem głową.

Mama tylko się uśmiechnęła, bo jej córeczka mówiła dokładnie to samo na widok każdego konia, nawet wielkie, pociągowe konie były jej zdaniem najsłodsze i najmądrzejsze na świecie. Zuzia chciała chyba jaszcze coś dodać, ale wtedy na ujeżdżalni pojawiła się Maciejka.

Był to koń jasnobrązowy, albo raczej

ciemnożółty, a zdaniem Zuzi Maciejka była po prostu w kolorze herbatników. Do tego grzywę i ogon miała jaśniutkie jak lody waniliowe.

– Ma piękną maść – stwierdziła mama.

Zuzia spojrzała ze zdziwieniem, a potem pomyślała, że maść dla konia to pewnie coś takiego jak krem dla mamy. Ciekawe, czy Maciejka wciera sobie to mazidło kopytem w głowę, żeby nie mieć zmarszczek wokół oczu? Właśnie miała o to spytać, gdy rozległ się dzwonek i Maciejka ruszyła w kierunku pierwszej przeszkody. Kiedy była już całkiem blisko, przyspieszyła, mocno się wybiła i oddała piękny skok. Niestety, w tym samym momencie jeździec wyleciał z siodła jak wystrzelony z procy i runął na ziemię, a przez trybuny przetoczyło się głośne: „Och!”. Na szczęście zawodnik podniósł się o własnych siłach, otrzepał z piasku czerwony fraczek i, trochę zawstydzony, rozglądał się za swoim wierzchowcem. W takich wypadkach koń zazwyczaj zatrzymuje się i czeka gdzieś w pobliżu. Ale tym razem było inaczej.

W wielkiej głowie Maciejki zaświtała myśl, że nie po to wystartowała w tych zawodach, żeby teraz stać bezczynnie i przeganiać muchy ogonem. W końcu co to za różnica, czy dokończy ten przejazd z jeźdźcem na grzbiecie, czy bez? Wyglądało na to, że bez jeźdźca było jej nawet wygodniej, bo kopyta tylko śmigały nad kolorowymi drągami. W pięknym stylu przeskoczyła rów z wodą i wysoką przeszkodę zwaną murem. A wszystko we właściwej kolejności, jakby wiedziała, że za pomyłkę grożą punkty karne. Szła jak burza, ścinając zakręty, by w ten sposób zyskać na czasie. Zwolniła dopiero wtedy, gdy pięknym łukiem pokonała ostatnią, czerwono-białą stacjonatę. Był to popisowy, bezbłędny przejazd. Trybuny zatrzęsły się od braw i gdyby Maciejka potrafiła się kłaniać i dawać autografy – byłby to najodpowiedniejszy moment.

Jeździec, który ze zdumieniem oglądał poczynania swego konia, próbował pochwycić Maciejkę za uzdę i wyprowadzić z parkuru, ale ona, nie zwracając na niego najmniejszej uwagi, ruszyła kłusem do ławy, w której zasiadali sędziowie. Świadoma tego, że dobrze się spisała, stanęła przed nimi w oczekiwaniu na nagrodę. Taki obrót sprawy ich zaskoczył. Naradzali się chwilę, skubiąc nerwowo wąsy i w końcu poklepali ją po karku i przypięli do uzdy śliczną fioletową rozetkę. Takie rozetki zrobione są z kolorowych wstążek, upiętych na kształt kwiatka, i zwykle dekoruje się nimi konie, które zwyciężyły w zawodach.

– Należało się jej za te pierwszorzędne skoki. Maciejka świetnie sobie poradziła i dobrze, że sędziowie ją nagrodzili – ucieszyła się mama. – Na niejednych zawodach już byłam, ale nigdy nie widziałam, żeby koń sam, bez jeźdźca, pokonał bezbłędnie cały parkur – kręciła z niedowierzaniem głową. – To naprawdę wyjątkowy koń, na dodatek o pięknej izabelowatej maści – dodała.

– Jakiej maści? – zdziwiła się Zuzia.

– Maść u konia to kolor jego sierści – wyjaśniła mama. – Motyl, którego przed chwilą widziałaś, był maści karej, czyli po prostu był czarny. Maciejka jest żółtawa, jakby wymazana gliną, i ma jasnokremowe ogon i grzywę. Tak właśnie wygląda maść izabelowata. – Mama, która o koniach mogłaby opowiadać przez cały dzień i pół nocy, wyjaśniła Zuzi, skąd wzięła się ta dziwna nazwa. Okazało się, że ma ona związek z kolorem koszuli austriackiej księżniczki Izabeli. Księżniczka ta złożyła uroczystą przysięgę, że nie zdejmie swej koszuli, póki jej ojciec, książę Filip, nie zdobędzie miasta Ostendy. Oblężenie trwało trzy lata, ale Izabela dotrzymała słowa, choć jej biała koszula przybrała kolor żółtawy, a miejscami szary. A ponieważ księżniczka znakomicie jeździła konno, przyjęło się, że konie takiej właśnie barwy na jej cześć mają maść izabelowatą. I tak już zostało do dziś.

Izabelowata Maciejka, z piękną rozetką przy uździe, dawno opuściła ujeżdżalnię u boku swego lekko utykającego jeźdźca. Kolejne konie, jeden po drugim, skakały przez murki, rowy i stacjonaty. Oklaski przeplatały się z westchnieniami, gdy końskie kopyta strącały kolorowe drągi, a sędziowie przyznawali punkty karne. Zawody miały się już ku końcowi, a Zuzia ciągle nie mogła przestać myśleć o tej Izabeli. No bo co prawda Zuzia nie jest księżniczką, ale gdyby założyła dzisiaj wieczorem swoją ulubioną piżamkę – niebieską w białe chmurki, i nie zdejmowała jej przez trzy lata, i gdyby jeszcze do tego znalazł się jakiś jasnoniebieski konik w białe łaty, to jego maść mogłaby nazywać się zuziowata. Na takim właśnie koniu chciałaby wystąpić na zawodach i dostać piękną rozetkę. Ale póki co, poszła z mamą do stajni pogłaskać Maciejkę, która chętnie przyjmowała gratulacje. Pożerała przy tym niesłychane ilości marchewek i cukru w kostkach i nic sobie nie robiła z tego, że jest w kolorze przybrudzonej koszuli austriackiej księżniczki.

BUCEFAŁ

Z końmi sprawy mają się tak, że dla każdego, kto je pokocha, stajnie i pastwiska stają się najpiękniejszymi miejscami na świecie. Miłośnik koni gotów jest też przysiąc, że nie ma ładniejszego widoku niż wyszczerzone w uśmiechu wielkie, żółte zęby. I nieważne, czy się jeździ na koniu, czy się go szczotkuje, byle tylko taki wielki, pachnący sianem przyjaciel był na wyciągnięcie ręki. Według Piotrka to szczotkowanie jest nawet fajniejsze. Można się wtedy przytulić do dużego, kosmatego brzucha i porozmawiać sobie z konikiem. Co prawda Truskawka – bo tak miała na imię kobyłka Piotrka – nie mówiła za wiele, ale zawsze stała spokojnie, słuchała uważnie i kiwała wielką głową. Jednak wszyscy – i dzieci, i konie najbardziej lubiły słuchać pana Józefa. Pan Józef pracował w stadninie od zawsze. Zwykle krzątał się po stajni i doglądał koni, ale zdarzało się, że czasem siadał, zapalał fajkę i opowiadał. I tak pewnego razu Piotrek usłyszał od niego historię o Bucefale.

– Wszystkie konie są wyjątkowe – zapewnił pan Józef – ale zdarzają się wśród nich takie, którym ludzie w dowód uznania stawiają pomniki. Bywa że i pomnik to za mało i imię konia dostaje całe miasto. Tak było w przypadku Bucefała, który uczciwie sobie na to niezwykłe wyróżnienie zapracował.

– U nas w stajni są: Szumka, Mural, Truskawka, Szeryf, Filut i Zygzak, ale nigdy nie słyszałem, żeby koń nazywał się Bucefał – dziwił się Piotrek.

– To imię oznacza „Byczogłowy", bo w rzeczy samej głowa tego konia była szeroka i mocna jak głowa byka. Inni mówią, że nazwano go tak, bo na łopatce miał małą, białą plamkę przypominającą byczy łeb. Tak czy owak, prezentował się Bucefał wspaniale – zapewnił pan Józef, a Piotrek już nie przerywał, tylko usadowił się wygodnie i słuchał. – Wszystko zaczęło się przed wielu laty w Macedonii. Kiedy przed oblicze króla Filipa II przyprowadzono Bucefała, ten zachwycił się pięknym, karym koniem o długim ogonie, cienkich pęcinach i kształtnej głowie z białą gwiazdką na czole. Gotów był nawet go kupić, ale zrezygnował, gdy koń nie pozwolił się nikomu dosiąść, tylko szarpał się i wierzgał, waląc na oślep kopytami. Sprawa wydawała się przesądzona, kiedy nagle syn króla, zaledwie dwunastoletni Aleksander, stwierdził:

– Ojcze, popełniasz błąd. To wspaniały koń. Wcale nie jest taki dziki i niebezpieczny, jak wszyscy sądzą.

– Będzie twój – obiecał król – jeśli udowodnisz, że potrafisz na nim jeździć.

Aleksander spokojnie zbliżył się do konia. Zauważył, że ten wpada w popłoch na widok własnego cienia. Przerażała go ta dziwna, szara plama pojawiająca się raz z tyłu, raz z boku. Miotał się nerwowo, próbując od niej uciec, ale plama na zmianę to ścigała go, to znikała nie wiadomo gdzie. Wielki, wystraszony ogier tańczył na tylnych nogach z rozwianą grzywą i rozdętymi chrapami.

Aleksander złapał cugle i obrócił konia w kierunku słońca. Nie pozwolił mu się pochylić i patrzeć na ziemię. Bucefał powoli uspokajał się. Nie protestował, kiedy Aleksander wskoczył mu na grzbiet, a gdy po chwili poczuł lekki docisk łydki, ruszył przed siebie. Chłopiec pochwalił go, klepiąc delikatnie po karku, a koń wyzbył się lęku, przyspieszył i galopem triumfalnie okrążyli plac. Król, dumny ze swego syna, zapłacił za konia, a Aleksander i Bucefał stali się nierozłączni.

Bucefał był u boku przyszłego władcy, gdy ten dorastał, a później towarzyszył mu we wszystkich jego podbojach. W tamtych czasach nie używano siodeł, więc niełatwo było utrzymać się na końskim grzbiecie. Zwłaszcza na polu bitwy życie jeźdźca zależało często od odwagi i zręczności konia.

A Bucefał w wojennym rzemiośle nie miał sobie równych. Aleksander wyszkolił go tak, że podczas walki Bucefał stawał dęba i atakował przeciwnika, rozdając ciosy kopytami, a potem poprawiał zębami, kąsając wrogów gdzie popadnie. Znał też inną sztuczkę, a mianowicie kiedy Aleksander, zwany już wtedy Aleksandrem Wielkim, chciał wsiąść na swego konia, ten klękał na przednich nogach, by władcy łatwiej było go dosiąść. Tak samo przyklękał, gdy jego pan zsiadał...

Pan Józef przerwał na chwilę i wypuścił z fajki chmurkę pachnącego dymu, a Piotrkowi przyszło coś do głowy:

Ojej, chybabym nie chciał, żeby Truskawka ciągle stawała dęba i szarpała wszystkich zębami. Ale z drugiej strony, gdyby tak od czasu do czasu miała ochotę kopnąć, wiadomo gdzie, tego okropnego Igora, tobym jej nie bronił – Piotrek uśmiechnął się do tej pięknej myśli, a pan Józef ciągnął dalej:

– Bucefał miał jakiś szósty zmysł, który podpowiadał mu, co robić i jak unikać niebezpieczeństw, kiedy młody król prowadził do boju swoich żołnierzy. Był niezwykle zwrotny, a przy tym mocno i pewnie trzymał się na nogach. Jego szybkość i skoki mogły przyprawić o zawrót głowy. Wytrzymywał najcięższe trudy walki, nie okazując zmęczenia. Podczas każdej bitwy był jakby duszą i ciałem zrośnięty z Aleksandrem. A o jego waleczności krążyły legendy. Jed-

na z nich opowiada o tym, jak w bitwie pod Tebami Bucefał odniósł kilka ciężkich ran. Widząc to, Aleksander postanowił zmienić konia. Chciał, by Bucefał odpoczął, a on sam zamierzał walczyć dalej na innym rumaku.
Ale Bucefał nie chciał o tym słyszeć.
Rżał oburzony, szarpał głową, krę-

cił się w kółko i nie można go było zmusić, by przyklęknął. Protestował tak długo, aż król odprawił drugiego konia i do końca bitwy walczył, siedząc na grzbiecie rannego Bucefała.

Koń wiernie towarzyszył swemu panu przez trzydzieści lat, podczas których Aleksander Wielki złamał potęgę imperium perskiego i odnosił zwycięstwa w Indiach. Aż przyszedł dzień tej ostatniej bitwy nad rzeką Hydaspes.

Pan Józef przerwał na chwilę i westchnął, a Piotrek przygryzł mocno wargi. Już wiedział, że nad tą rzeką o dziwnej nazwie musiało się stać coś strasznego.

– Była to bitwa krwawa i niezwykle ciężka – ciągnął pan Józef – a Bucefał jak zwykle, bez cienia strachu, pędził w pierwszym szeregu, niosąc swego pana do boju. Gdy walczące armie zwarły się ze sobą, z trudem można było rozpoznać, kto wróg, kto przyjaciel. Widać było tylko jeden zbity kłąb, krzyczący straszliwie i miotający się po ziemi. Bucefał brał pod kopyta każdego, kto zamierzał się na Aleksandra. Robił uniki, stawał dęba i szarpał zębami podniesione do ciosów ramiona. Aleksander ciął mieczem na lewo i prawo, siejąc spustoszenie w szeregach wroga. Wreszcie i on został ranny. Z każdą chwilą tracił siły i z coraz większym trudem utrzymywał się na koniu. Wrogowie to spostrzegli i zaatakowali ze zdwojoną siłą. Król pewnie nie uszedłby z życiem, gdyby nie Bucefał. Ten wspaniały, dzielny ogier instynktownie wiedział, co robić, i wyniósł swego pana z tłumu wrogów. Dosięgły go po drodze ciosy zadane mieczem i strzały łuczników, ale on pędził przed siebie, dopóki nie doniósł Aleksandra do obozu. Tam ugiął jeszcze kolana, by ranny król mógł zsiąść, i padł martwy na ziemię.

Aleksander Wielki nie mógł odżałować straty przyjaciela. Wyprawił mu wspaniały pogrzeb i kazał zbudować wielki grobowiec. Wreszcie założył miasto, nadając mu imię tego niezwykłego konia. – Pan Józef zakończył historię i pyknął z fajeczki.

Wtedy Piotrek pomyślał, że gdyby on był Piotrem Wielkim, to Truskawka na pewno poradziłaby sobie nie gorzej niż Bucefał. A teraz jego miasto nie nazywałoby się Warszawa, tylko Truskawa.

PĘDZIWIATR

Czy koń może zaprzyjaźnić się z kotem? A czemu by nie? Taki na przykład Pędziwiatr, piękny, siwy koń, i szarobury Mruczek – zostali prawdziwymi przyjaciółmi. Pędziwiatr po torach wyścigowych galopował szybko jak wiatr, albo nawet jak wicher, a Mruczek po dachach skakał tak, że niejeden kominiarz wiele mógłby się od niego nauczyć. Jak to się stało, że ten wspaniały, sportowy koń nie mógł żyć bez pręgowanego kocura?

Zaczęło się chyba od tego, że pewnego razu przez uchylone drzwi wślizgnął się do stajni jakiś szary cień. Rozejrzał się dokoła, miauknął cicho i bezszelestnie obszedł wszystkie kąty. Obejrzał stryszek, siodlarnię i w końcu trafił do boksu Pędziwiatra. Od razu poczuł się tam jak u siebie. Jednym susem wskoczył do żłobu, zwinął się w kłębek na sianie i zasnął. Nie wiadomo dokładnie, co sobie pomyślał Pędziwiatr, kiedy wrócił z treningu i znalazł w żłobie śpiącego kota. W każdym razie pochylił swą wielką głowę i obwąchał go dokładnie. Mruczek poczuł jakiś dziwny podmuch powietrza, który zmierzwił mu futerko, i otworzył lewe oko. Zobaczył nad sobą dwa owłosione tunele i dopiero po chwili zrozumiał, że są to dziurki w nosie. Miauknął przeraźliwie i zerwał się na równe łapy. Koń odskoczył przestraszony, stanął dęba i wyrżnął głową w belkę pod sufitem.

Nie był to najlepszy początek znajomości. Ale potem było już tylko lepiej. Bo do tej pory Pędziwiatr czuł się w swoim boksie bardzo samotny. Kiedy wracał zmęczony z treningu, chciał komuś opowiedzieć, jak mu poszło na torze, ile zrobił okrążeń albo o czym plotkują inne konie. No i z kim miał sobie pogadać? Ludzie go nie rozumieli, a okazało się, że taki kot to i owszem. Siedział w żłobie, słuchał i mruczał. A raz, kiedy Pędziwiatr był niezadowolony i narzekał bez końca na wszystko, Mruczek pacnął go łapką w łeb, jakby chciał powiedzieć:

– Nie marudź tyle!

Innym razem, gdy koń miał dobry humor, stajenny podpatrzył taką scenę. Oto Pędziwiatr złapał delikatnie Mruczka za skórę i ostrożnie podniósł go do góry, a potem pochylił głowę i postawił go z powrotem na ziemi. Powtórzył to kilka razy, a kot był wyraźnie zachwycony. Chyba mu się wydawało, że jeździ windą. Kiedy lądował na ziemi, ocierał się o końskie nogi i mruczał, jakby prosił:

– Jeszcze raz do góry! Jeszcze raz!

Pędziwiatr był też niezastąpiony, kiedy w pobliżu pojawiał się Reks. Reks był największym zmartwieniem Mruczka. Ten nieduży, kudłaty pies udawał, że pilnuje porządku w całej stadninie i strasznie zadzierał nosa. Widok kota wyraźnie działał mu na nerwy i jak spotykał go na swej drodze, zaczynała się szaleńcza gonitwa. Mruczek zawsze uciekał wtedy pod osłonę nóg Pędziwiatra. Wpadał do stajni, siadał obok końskiego kopyta i już był bezpieczny. Pędziwiatr nigdy go nie nadepnął, a pies nie odważył się podejść bliżej ze strachu przed kopniakiem. I miał rację, bo koń w obronie swego przyjaciela gotów był nabić mu guza.

Jednak nawet Pędziwiatr nie mógł nic poradzić, gdy pewnego dnia rano załadowano go do specjalnej przyczepy i zabrano w długą podróż. Jechał przez cały dzień i całą noc do wielkiego niemieckiego miasta, w którym miały się odbyć międzynarodowe wyścigi konne. Pędziwiatr był faworytem, do tej pory wygrywał wszystkie gonitwy i tym razem też miał duże szanse na zwycięstwo. Jego trener i dżokej, który go dosiadał, bardzo na to liczyli. Postarali się, żeby koń miał wygodny boks, odpowiednią paszę i świeżą wodę. Zabierali go na rozgrzewki i krótkie treningi, a potem na zmianę masowali i szczotkowali. Jednak, ku ich rozpaczy, Pędziwiatr z dnia na dzień wyglądał gorzej. Nie chciał nic jeść i choć podsuwali mu pod nos jabłka i marchewki, odwracał głowę i rozglądał się po stajni, jakby kogoś szukał. Osłabiony i osowiały nie przypominał już faworyta wyścigów. Wtedy sprowadzono dwóch weterynarzy.

– Tak naprawdę, to nic mu nie dolega – stwierdził jeden z nich po zbadaniu Pędziwiatra.

– Osłuchałem go, zmierzyłem temperaturę i ciśnienie i wszystko jest w porządku – powiedział drugi. – A jednak nie ma apetytu i chudnie – dodał i podrapał się w głowę.

– Mnie się widzi, że ten koń jest jakiś smutny, tęskni za kimś albo się czymś martwi – powiedział w końcu stary stajenny.

Wtedy trener uderzył się dłonią w czoło i zawołał:

– Kot! Jemu pewnie chodzi o Mruczka, tego który sypia zawsze w jego żłobie. Oni się podobno zaprzyjaźnili. Musimy ściągnąć tu tego kota!

Potem było tak. Najpierw w Polsce, w stadninie rozdzwonił się telefon, a chwilę później w całej stajni słychać było nawoływanie: „Kici, kici, kici!". Mruczek, jak to kot, chodził własnymi drogami, ale odkąd Pędziwiatr wyjechał, przesiadywał często na dachu stajni, koło komina, i wypatrywał przyjaciela. Zaciekawiony tym, dlaczego wszyscy tak nagle chcą go zobaczyć, zlazł na ziemię. Natychmiast pochwyciły go czyjeś ręce i wylądował w eleganckim koszyku. Ponieważ podróż do Niemiec samochodem trwałaby zbyt długo, zdecydowano, że kot poleci samolotem. Zawieziono go więc na lotnisko i bardzo ładna stewardesa zabrała koszyk z Mruczkiem na pokład. Mruczek nic z tego nie rozumiał, ale stewardesa drapała go za uchem, a za oknem przesuwały się śliczne białe obłoczki. Potem dostał miseczkę mleka i zrobiło się bardzo przyjemnie.

– Chłeptać sobie mleczko w chmurach, to ci dopiero przygoda. Szkoda, że Pędziwiatr tego nie widzi – westchnął i zdrzemnął się troszkę.

Zbudziło go dziwne uczucie, że żołądek wędruje mu do gardła, a wszystko wkoło trzęsie się i podskakuje. To było lądowanie. Po chwili żołądek wrócił na swoje miejsce, a stewardesa okryła go kocykiem i wyniosła z samolotu.

Myszy nigdy mi nie uwierzą, że latałem po niebie jak prawdziwy ptak – pomyślał.

Kolejną godzinę Mruczek spędził w samochodzie, który pędził autostradą nie wiadomo dokąd. Miał już serdecznie dość tej wycieczki, gdy nagle auto zatrzymało się i ku swemu zaskoczeniu kot znalazł się w stajni. Wokół znajomo pachniało siano i ktoś przywoływał go cichym rżeniem. Mruczek pognał w tamtą stronę ile sił w łapkach, wpadł do boksu Pędziwiatra i jednym susem znalazł się w żłobie. Koń trącił go delikatnie głową i polizał wielkim językiem. A ile było przy tym mruczenia, ocierania się i przewracania na plecki! Wreszcie kot ułożył się wygodnie na sianie, a koń spokojnie zaczął jeść. Do gonitwy zostały dwa dni. Pędziwiatr odzyskał apetyt i szybko wrócił do świetnej formy. Nie muszę chyba dodawać, że i tym razem pierwszy zameldował się na mecie i wrócił z zawodów z wielkim złotym pucharem.

Na kocie te zwycięstwa, puchary i rozetki nie robiły wrażenia. On cieszył się, że jest znowu razem ze swoim przyjacielem.

A co do myszy, to miał rację. Nie uwierzyły.

Raptus, Huzar i Olszynka

To było do przewidzenia, że mając wujka leśniczego, Grześ wcześniej czy później spędzi lato w leśniczówce. Ze swoich wakacji w drewnianym domku na skraju lasu Grześ przywiózł torbę szyszek, sznurek suszonych grzybów i piórko sójki. Zapamiętał też nazwy różnych drzew i leśnych ptaków. Ale najbardziej spodobała mu się pewna historia, którą usłyszał od wujka. Była to historia jeszcze z czasów wojny i oczywiście nie mogło zabraknąć w niej koni, bo wujek po równo kochał las i konie. Konie może nawet trochę bardziej. Na dodatek wszystko, o czym opowiadał, wydarzyło się kiedyś w tej właśnie leśniczówce.

– Musisz wiedzieć – zaczął wujek – że Raptus, Huzar i Olszynka to nie były konie sportowe, wyhodowane w wielkich stadninach. Ich noga nigdy nie stanęła na ujeżdżalni, a brzuch ani razu nie przeleciał nad kolorową przeszkodą. Nikt ich też o zdanie nie pytał, czy chcą służyć w wojsku. Po prostu wyprowadzone z gospodarskich stajni z dnia na dzień trafiły na żołnierską służbę. I właśnie te zwyczajne konie, niosąc na grzbiecie ułanów, potrafiły, gdy zaszła potrzeba, dorównać swym kolegom startującym w konkursach i zdobywającym medale. Tak właśnie było z Raptusem, Huzarem i Olszynką.

Cała trójka z ułanami w siodłach wypadła pewnego razu z lasu i zajechała przed leśniczówkę. Chcieli zasięgnąć języka, co się dzieje w okolicy, i odebrać jakieś mapy. Przy okazji nie odmówili poczęstunku. Jeden z nich został na zewnątrz przy uwiązanych przed leśniczówką koniach, a pozostała dwójka zasiadła przy stole. Przed każdym gospodyni postawiła talerz z jajecznicą na słoninie i dołożyła po wielkiej pajdzie chleba. Swoją porcję dostał i ten pilnujący koni. Leśniczy ciekaw był wiadomości z frontu, więc goście opowiadali, wymiatając z talerzy resztki jajecznicy. Ułan przed leśniczówką zapalił papierosa i obserwował konie, które próbowały sięgnąć pyskami do stojących w oknie pelargonii. Nagle konie coś usłyszały. Porzuciły kwiatki, odwróciły się w kierunku drogi i zastrzygły uszami. Huzar rżał, a Olszynka kręciła się niespokojnie. Nie uszło to uwagi pilnującego koni ułana. Jeden rzut oka na łąkę za drogą wystarczył, by podnieść alarm. Od strony wsi tyralierą zbliżali się Niemcy. Nie było chwili do stracenia – stuknęły o stół porzucone łyżki, a ułani dopadli swych koni.

Wtedy Niemcy otworzyli ogień i było jasne, że drogą już nikt nie przemknie. Z lewej i prawej strony też rozległa się kanonada. Ułani na koniach cofnęli się za leśniczówkę. To była w tej sytuacji jedyna droga ucieczki. Właściwie to byłaby droga ucieczki, gdyby nie wielki, niemal dwumetrowy płot z desek, który okalał podwórze. Na dodatek zakończony, niczym koroną, przyciętymi w szpic palikami.

– Tego nie da się przeskoczyć! – zawołał na widok płotu jeden z ułanów i dodał jakieś przekleństwo.

– Nawet jeśli się nie da, musimy spróbować! Nie mamy innego wyjścia! – krzyknął inny.

Na podwórzu nie było dość miejsca, by wziąć porządny rozbieg. Na dodatek Raptus, Huzar i Olszynka nie miały nic wspólnego ze sportowymi wierzchowcami. Ale w tamtej chwili nie miało to znaczenia. Koniom udzieliło się zdenerwowanie jeźdźców. Na swój sposób rozumiały, w jakiej znaleźli się sytuacji. Wiedziały, że od nich zależy życie tych trzech chłopców, ale wiedziały też, że skacząc, mogą rozpruć sobie brzuchy na ostro zakończonym płocie. Słyszały zbliżający się pościg i coraz bliższe odgłosy wystrzałów. Z rozdętymi chrapami, z płatami piany u pyska rzuciły się przed siebie. Najpierw Raptus i Olszynka jakimś cudem dobrze wymierzyły odbicie, rozciągnęły się w skoku i poszybowały nad płotem. Tylne kopyta stuknęły głucho o deski, ale udało się. Konie ciężko opadły po drugiej stronie. Został jeszcze Huzar, najmniejszy z całej trójki. W jego oczach ten płot musiał sięgać do nieba. Zawahał się, jednak zagalopował i skoczył. Ostrokół wyrysował dwie krwawe pręgi na jego brzuchu, ale on chyba nawet tego nie poczuł. Gdy chwilę potem Niemcy wpadli na podwórze, nie mogli pojąć, co się stało.

– Gdzie są ci trzej ułani? Jakim cudem uszli z życiem? Czy to możliwe, że przeskoczyli prawie dwumetrowy, zakończony ostrokołem płot? – pytali jeden przez drugiego.

Ano, niemożliwe, ale przeskoczyli. Dotarli galopem do lasu i poznikali wśród drzew. Tam wszyscy trzej dziękowali swym koniom, klepiąc je czule po karku.

Ledwo wujek skończył opowiadać, Grześ pobiegł obejrzeć podwórko za leśniczówką. Po wielkim płocie nie było już śladu. Ale wystarczyło zamknąć oczy, by zobaczyć wszystko to, o czym przed chwilą usłyszał.

– Dobrze, że uciekli – szepnął. – Może Huzar niezbyt mocno podrapał sobie brzuch – westchnął i zapatrzył się w gęstniejący w pobliżu las. Przez mgnienie oka wydawało mu się, że między drzewami widzi przemykające sylwetki ułanów.

ZBÓJ

– Co można dać koniowi na urodziny? Może jakieś odlotowe podkowy albo pokrowiec na ogon? – zastanawiał się głośno Mikołaj. – Przecież na lody go nie zaproszę, a książki o wampirach też sobie nie poczyta, prawda?

– Prawda, dlatego najlepiej będzie, jak mu dasz pęczek marchewki i cukier w kostkach – poradziła mama, no i oczywiście miała rację.

Mikołaj wybrał się więc do stajni z torbą marchewki pod pachą i z kieszeniami wypchanymi cukrem. Najpierw złożył konikowi życzenia, potem pocałował go w nos, tam, gdzie jest taka fajna, mięciutka, trochę pomarszczona skórka, i na koniec wręczył mu prezent. Dymek, bo tak nazywał się solenizant, schrupał kilka marchewek i polizał Mikołaja po głowie. Trochę go przy tym obślinił, ale Mikołaj i tak był szczęśliwy. Przytulając się do Dymka, pożałował, że sam nie jest koniem. Mogliby się teraz razem wytarzać albo uciąć sobie na stojąco małą drzemkę.

– Widzę, że ty też pamiętałeś o jego urodzinach – powiedziała pani Dorota i wrzuciła do żłobu kilka pięknych, czerwonych jabłek. Pani Dorota była trenerem i uczyła dzieci jeździć konno. – Wiesz, jak tak na niego patrzę – pani Dorota poklepała Dymka po karku – to aż trudno mi uwierzyć, że ten śliczny, silny konik rok temu był chudym, przerażonym źrebakiem, który ledwo mógł ustać na nogach.

– A dlaczego był taki słaby i przestraszony? – spytał Mikołaj, wyciągając z kieszeni kolejną kostkę cukru.

– Przede wszystkim dlatego, że gdy tylko przyszedł na świat, stracił matkę. Biedna Kalinka nie przeżyła porodu. Próbowaliśmy karmić Dymka mlekiem z butelki, ale jadł mało i nie przybierał na wadze. Brakowało mu mamy albo kogoś, kto by mu ją zastąpił. Chcieliśmy, żeby jakaś inna klacz zaopiekowała się źrebaczkiem, ale wszystkie go przeganiały. Kuliły uszy i były złe jak osy, kiedy się koło nich kręcił. Inne dorosłe konie zębami i kopytami tłumaczyły mu, żeby trzymał się od nich z daleka. Nawet niewiele starsze od Dymka źrebaki, zazdrosne o swoje mamy, wierzgały kopytkami, gdy próbował się zbliżyć.

– I co? Co było dalej? – Mikołaj przejęty losem Dymka znowu poczęstował go kostką cukru.

– Nie wiedzieliśmy, co robić – westchnęła pani Dorota. – Taki słabowity maluch, odtrącony przez inne konie, miał marne szanse, by przetrwać. Co prawda w stajni był jeszcze

Zbój, ale nikomu nawet nie przyszło do głowy, by przyprowadzić źrebaka do tego starego, złośliwego ogiera.

Mikołaj dobrze wiedział, o kogo chodzi. Ten wielki kary koń nie bez powodu nazywał się Zbój. Miał w grzywie czerwoną wstążkę, a to znaczyło, że lepiej się do niego nie zbliżać. Niewielu mogło się pochwalić, że wsiadło na Zbója, a i oni najczęściej nie schodzili z niego z własnej woli, tylko wylatywali z siodła jak wystrzeleni z procy.

– Ten ogier już taki jest, że prędzej kogoś ugryzie lub kopnie, niż pozwoli się pogłaskać – pokiwała głową pani Dorota. – My o tym wiedzieliśmy, ale Dymek nie miał o niczym pojęcia. Podszedł do boksu Zbója na trzęsących się nóżkach i zarżał rozpaczliwie. Po chwili pojawiła się wielka, czarna głowa i błysnęły białka rozzłoszczonych oczu. Wszyscy zamarli. Byliśmy pewni, że ogier pogryzie malucha albo zaatakuje kopytami. I wtedy stało się coś dziwnego. Stary koń powąchał malca i polizał go po głowie. Dymek zarżał, ale tym razem jakoś tak radośnie, i nie myśląc wiele, wtarabanił się do boksu Zbója. Tam wielki koń wylizał źrebaka jak najczulsza matka i pchnął go lekko na siano. Mały ułożył się wygodnie na boku i spokojnie zasnął.

Mikołaj odetchnął z ulgą. Już wiedział, że jego ulubiony konik trafił wreszcie w dobre ręce, a właściwie kopyta.

– My też odetchnęliśmy – powiedziała pani Dorota z uśmiechem – bo od tego dnia Zbój zaopiekował się Dymkiem. Chronił go i uczył wszystkiego, co koń powinien wiedzieć. Na przykład kiedyś wczesną wiosną na padoku widziałam, jak Zbój natrafił na zamarzniętą kałużę. Uderzył w nią kopytem, tak że zbiła się cienka warstwa lodu i pod spodem pokazała się woda. Pochylił się i łyknął ze dwa razy. Dymek przyglądał się temu z uwagą i po chwili znalazł inną trochę mniejszą zamarzniętą kałużę i zrobił dokładnie to samo. Naśladował Zbója we wszystkim i nie wątpię, że to ten stary koń powiedział mu, które tra-

wy są najsmaczniejsze, jakie roślinki trzeba skubać, gdy boli brzuch, a jakich nie ruszać, bo mogą zaszkodzić. Broić i dokazywać też go niestety nauczył – przyznała na koniec pani Dorota.

A Mikołaj przypomniał sobie, że niedawno na podwórzu przed stajnią widział taką scenkę: Dymek i Zbój, jak zwykle nierozłączni, zamiast iść na pastwisko, przystanęli przy wielkim klombie i wyciągając szyje, wcinali śliczne kwiatki. Obok na łące pasła się spokojnie grupa młodych koni. Być może były to te same konie, które kiedyś nie chciały się bawić z osieroconym, przestraszonym źrebaczkiem. W pewnej chwili Dymek, jakby sobie coś przypomniał, podbiegł do tego stada i ugryzł jednego konia w zad. Tamten kwiknął i rzucił się w pogoń za napastnikiem. I co wtedy zrobił Dymek? Po prostu zwiał i schował się za Zbójem. Wystarczyło, że wielki ogier spojrzał na rozzłoszczonego konia ze śladami zębów na pupie, by ten zrozumiał, że lepiej dla niego będzie, jak wróci na pastwisko i zapomni o zemście. Mikołaj opowiedział tę historię pani Dorocie, a ona przyznała ze śmiechem:

– Bo nie tylko ludzie, ale i konie czują respekt przed Zbójem, w końcu jest największy i najsilniejszy w całej stajni. Tylko Dymek nigdy nie musiał się go obawiać, bo ten ogromny koń tak naprawdę go wychował i był dla niego jednocześnie trochę mamą, trochę tatą, a trochę najlepszym przyjacielem. Co jest tym dziwniejsze, że ogiery z reguły w ogóle nie tolerują źrebaków.

Teraz Mikołaj całkiem inaczej popatrzył na Zbója. On nie może być taki zły – pomyślał. – To co, że nie chce nosić nikogo na swoim grzbiecie? Gdyby ktoś wskoczył mi na plecy i kazał się wozić, też bym go zrzucił. A poza tym zaopiekował się Dymkiem, kiedy nikt inny nie chciał.

– Pewnie też, Zbójniczku, masz ochotę coś przekąsić. – Mikołaj zerknął do sąsiedniego boksu, w którym stał Zbój. – Trochę się ciebie boję, ale dam ci coś dobrego – mówiąc to, podał koniowi jedną marchewkę, drugą dał Dymkowi, a sam wziął do buzi ostatnią kostkę cukru. I tak sobie we trójkę chrupali. A Dymek pomyślał, że to były strasznie fajne urodziny.

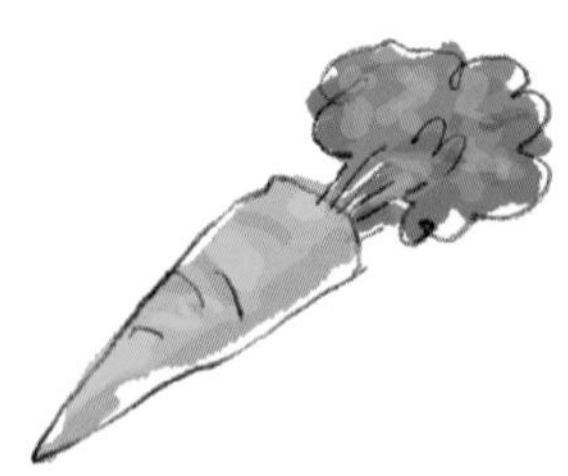

DROPS

„KLUB JEŹDZIECKI PODKOWA" – taki napis zdobił wielką, drewnianą bramę. Pod nim czarną farbą namalowany był koń w galopie. Julka od dawna marzyła, by znaleźć się po drugiej stronie tej bramy. Chciała, tak jak jej koleżanki, wejść pewnym krokiem do stajni i poklepać ulubionego konika. One wszystkie wiedziały, co to zgrzebło, popręg, kantar, tranzelka czy czaprak. Czyściły konie, śmiejąc się i gadając bez przerwy, a potem siodłały je, jakby to było coś najzwyklejszego w świecie. Julka czasami przyglądała się, jak dziewczyny ćwiczyły na ujeżdżalni, kłusowały, galopowały, a niektóre nawet skakały przez przeszkody. Chciałaby tak jeździć jak one, ale dobrze wiedziała, że co innego obserwować koleżanki, czy nawet mieć kolekcję pluszowych koników pony i wycinać zdjęcia koni z gazet i kalendarzy, a co innego stanąć oko w oko z prawdziwym koniem, który oprócz pięknych oczu ma jeszcze wielkie zęby i twarde kopyta. Dlatego Julka ciągle stała przed bramą, przestępowała z nogi na nogę i rozglądała się dokoła, jakby czekała, aż ktoś jej powie, co robić. W końcu, wzdychając ciężko, szepnęła:

– Trudno, niech się dzieje, co chce! – I ruszyła w kierunku stajni. Tam otoczyły ją koleżanki, a widząc jej niepewną minę, przekonywały jedna przez drugą:

– Nie przejmuj się, Julka, na początku każdy czuje się nieswojo – powiedziała Ala. – Ja nigdy nie zapomnę swojej pierwszej jazdy. – Uśmiechnęła się od ucha do ucha. – Siedziałam na koniu o imieniu Pączek, trzymałam się z całej siły siodła i ze strachu ledwo oddychałam. Tak się zdenerwowałam, że wszystko mi się pokręciło i potem upierałam się, że jeździłam na Drożdżówce.

– A ja – wtrąciła się Magda – usłyszałam kiedyś, że pojedziemy na oklep i myślałam, że będziemy musiały całą drogę klepać nasze koniki. Nie miałam pojęcia, że chodzi o jazdę bez siodła.

– Kiedy zaczynałyśmy, miałyśmy z nimi trochę problemów – tu Ala spojrzała na biegające po pastwisku konie – ale teraz świetnie sobie radzimy – zapewniła.

– Ty też sobie poradzisz, tylko nie możesz bać się konia, na którego wsiądziesz – powiedziała Anka. – Musisz być pewna siebie i zachowywać się tak, jakbyś ujeździła już co najmniej dziesięć dzikich rumaków.

– Jasne, koń od pierwszej chwili musi wiedzieć, że to ty nim rządzisz, a nie odwrotnie. No po prostu musi znać swoje miejsce – dodała Majka i z bardzo mądrą miną pokiwała głową.

– Oczywiście do koni trzeba mieć dużo cierpliwości i chwalić je za dobre zachowanie, ale jeśli trafi ci się leniwy i uparty koń, to dobrze mieć pod ręką porządny palcat. Zdarzają się też konie znarowione i na takie trzeba czasami nawrzeszczeć – wymądrzała się Anka.

Julka starała się to wszystko zapamiętać. A więc tak: nie bać się, mieć bardzo ważną minę, pokazać, kto tu rządzi, chwalić, wrzeszczeć i koniecznie dowiedzieć się, co to takiego ten palcat. A gdzie w tych dobrych radach są całuski w miękki, ciepły nos, mizianie za uchem, przytulanie i poklepywanie – tego Julka nie wiedziała.

Tymczasem konie z klubu jeździeckiego Podkowa zebrały się w kącie pastwiska. Stały pod drzewem, które dawało trochę cienia, i przysłuchiwały się, jak te najstarsze i najbardziej doświadczone pouczały młodego konika o imieniu Drops. Konik ten nie woził jeszcze dzieci na swoim grzbiecie, ale to się wkrótce miało zmienić. Był to więc właściwy moment na dobre rady.

– W tym klubie jest mnóstwo dziewczynek i pewnie niedługo jedna z nich zechce wdrapać się na twój grzbiet – zaczął Imbir, stary, mądry koń.

Drops bryknął i parsknął, widać było, że taka perspektywa trochę go przeraża.

– Dasz sobie radę, tylko nie możesz się bać dziewczyny, która będzie na tobie jeździła. Musisz być pewny siebie, jakby co najmniej dziesięć postrzelonych dziewczynek pobierało już u ciebie lekcje jazdy konnej – powiedział Imbir.

– Jasne. – Puzon, duży, gniady koń, pokiwał wielką głową. – Każda mała dziewczynka od pierwszej chwili musi wiedzieć, że to ty nią rządzisz, a nie odwrotnie. No po prostu musi znać swoje miejsce – zapewnił.

– Oczywiście, musisz mieć do tych dzieciaków dużo cierpliwości. Gdy będą się dobrze sprawować, możesz wsunąć im czasem łeb pod pachę albo pociągnąć delikatnie zębami za rękaw, one to lubią – pouczyła śliczna kasztanka Malwa.

Drops układał sobie to wszystko w głowie, a że głowę miał wielką, zostało w niej jeszcze trochę miejsca na wątpliwości.

– A jak trafi mi się jakaś nieznośna dziewczynka, która szarpie wodzami, wrzeszczy i co gorsza okłada konia palcatem po bokach, to co? – spytał.

– Po to właśnie mamy zęby i kopyta. Jeśli zechcesz pozbyć się takiej małej awanturnicy, możesz to zrobić na wiele sposobów – wyjaśnił Imbir. – Wystarczy, że galopując na wprost, skręcisz nagle gwałtownie w lewo lub w prawo. Zapewniam cię, że ten złośliwy dzieciak jeszcze długo będzie leciał prosto przed siebie, a potem wyląduje na ziemi, a jak dobrze sobie to wymierzysz, to nawet w kałuży. Możesz też stanąć dęba i gdy będziesz balansował zręcznie na tylnych nogach, dziecko zsunie się po twoim ogonie na ziemię. A jeśli jakaś mała jędza będzie zbyt ochoczo wymachiwać palcatem, możesz zadrzeć tylne nogi wysoko do góry i pochylić nisko głowę. Gwarantuję ci, że nie utrzyma się w siodle, zsunie się po twoim łbie i będzie leżeć plackiem na ujeżdżalni. Dobrze wtedy oddalić się kawałek, żeby nie wlazła ci z powrotem na grzbiet. W stajni, niestety, nie możesz biegać ani stawać dęba, bo zaraz o coś zawadzisz, ale tam też trzeba czasem pokazać, kto tu rządzi. Do tego celu najlepiej nadają się zęby. Wystarczy skubnąć mocniej, by dzieciak zrozumiał, że denerwuje cię hałas, masz za mało siana albo nudzi ci się bez konia, który zwykle zajmuje sąsiedni boks. – Na koniec Imbir dodał: – Oczywiście, jeśli dziecko się opamięta, nie szarpie cię, nie pogania i spełnia twoje zachcianki, to możesz łaskawie ponosić je na swoim grzbiecie.

Drops starał się to wszystko zapamiętać. A więc tak: nie bać się, mieć bardzo pewną minę, robić szybkie skręty, dzikie skoki i kłapać zębami. A gdzie w tym wszystkim jest poklepywanie, pyszne kosteczki cukru i zapewnienia, że jestem najpiękniejszym i najmądrzejszym konikiem na świecie – tego Drops nie wiedział.

No i nie wiadomo, jak by się to wszystko skończyło – czy Julka pokazałaby konikowi, kto tu rządzi, czy Drops postawiłby na swoim, wymachując kopytami i gryząc. Na szczęście w stajni pojawiła się instruktorka prowadząca jazdy, pani Jagoda. Pokazała dziewczynce, jak należy oporządzać i siodłać konie. W tym czasie Drops wrócił z pastwiska i niespokojnie kręcił się po swoim boksie, jakby miał zamiar coś zmalować. Widząc nową dziewczynkę, parsknął zaczepnie i uda-

jąc, że przegania ogonem muchy, podsłuchiwał, co mówiła instruktorka.

– A wiesz, Julka, że są specjalne pigułki, które pomogą ci poradzić sobie z każdym upartym i złośliwym koniem? – spytała pani Jagoda. Julka zrobiła wielkie oczy, a uszy Dropsa poruszyły się niespokojnie. I koń, i dziewczynka w napięciu czekali na słowa instruktorki. – Te pigułki robi się tak – wyjaśniła – trochę cierpliwości, łagodności, stanowczości i pieszczoty zmieszać ze sporą ilością zdrowego rozsądku i dawać koniowi codziennie. Jeśli jeszcze do tego zawsze będziesz miała w kieszeni jakieś jabłko albo cukier, to na pewno się dogadacie. Ale jeśli tobie zdarzy się, że czasem krzykniesz, szarpniesz lub w nerwach uderzysz konia – to nie wstydź się przeprosić. Pogłaszcz go, poklep, przytul się i powiedz „przepraszam". On ci wybaczy – zapewniła.

Wiele takich pigułek dostał Drops od Julki, zanim stali się parą najlepszych przyjaciół. A i on nieraz wybaczył, słysząc w swoim wielkim uchu cichutkie „przepraszam".

KASZTAN

Pan Bronek był górnikiem. Przez pół życia pracował w kopalni i wszystkie podziemne szyby i chodniki znał jak własną kieszeń. Mógłby nawet tam, głęboko pod ziemią, wskazać ślady po wykutych w skale żłobach. Przed laty stały przy tych żłobach konie i przeżuwały swoje porcje owsa. Te piękne zwierzęta, zamiast ścigać się z wiatrem, ciągnęły kopalniane wózki z węglem. Pracowały w ciemności, więc z czasem traciły wzrok, ale to wcale nie zwalniało ich ze służby u człowieka. Pan Bronek cieszył się, że przyszło mu pracować w kopalni w czasach, kiedy miejsce koni zajęły już maszyny. Co prawda zaczęto ich używać nie z litości dla koni, ale ze względu na większą wydajność elektrycznego silnika niż końskiego serca, ale to bez znaczenia. Najważniejsze, że już żaden koń nie musiał spędzać najlepszych lat swojego życia pod ziemią. Stary górnik należał do tych ludzi, którzy widząc konia na ujeżdżalni, pastwisku czy w zaprzęgu, klepią go w myślach po szyi. Zawsze też twierdził, że koniom pracującym w kopalni przypadł w udziale najgorszy los. One musiały wykorzystywać nie tylko siłę swoich mięśni, ale także wrodzony spryt i inteligencję. Inaczej trudno byłoby im przetrwać. Niektóre nawet musiały nauczyć się liczyć, by nie dać się oszukać.

Koń liczący w pamięci, to niemożliwe! A jednak. W kopalni zgodnie z przepisami koń powinien ciągnąć cztery wagony, każdy załadowany toną węgla. Ale zdarzało się, że gdy kończyła się zmiana, a węgiel nie mieścił się w przepisowych czterech wagonach, to próbowano doczepić piąty, by za jednym zamachem wywieźć cały urobek. Wtedy koń stawał i odmawiał współpracy. Oczywiście w ciemnym, wąskim kopalnianym chodniku nie mógł widzieć, ile mu przyczepiono wagonów, ale potrafił liczyć. Bo wagony były połączone ze sobą stalowymi łańcuchami. Kiedy koń ruszał, najpierw napinał się łańcuch łączący pierwszy i drugi wagon, wydając przy tym charakterystyczny dźwięk, coś jakby metaliczny zgrzyt. Potem słychać było wyraźnie dwa kolejne zgrzytnięcia, gdy napinał się łańcuch między drugim a trzecim i trzecim a czwartym wagonem. Wtedy z turkotem kół pociąg powinien toczyć się po torach. Jeśli jednak koń usłyszał dodatkowo czwarty zgrzyt łańcucha, było dla niego jasne, że dopięto piąty wagon. Tego było koniowi za dużo, stawał i za nic nie chciał ruszyć przed siebie. Niestety, z czasem górnicy nauczyli się oszukiwać konie. Doczepiali piąty wagon, ale tak napinali łańcuch, by przy pociągnięciu nie zazgrzytał. Koń liczył w pamięci i wychodziło mu, że były trzy zgrzyty, a zatem ma za sobą cztery wagony. Zbierał więc siły i ruszał. Ciężar był zbyt duży, koń wiedział, że coś jest nie tak, ale ciągnął, bo rachunek mu się zgadzał. Jednak z każdym krokiem coraz mniej wierzył w ludzką uczciwość. Takie oszustwa zdarzały się często, ale bywało, że koń w kopalni musiał sobie radzić z dużo gorszymi sytuacjami.

Stary górnik opowiadał zasłyszaną historię o Kasztanie. Ten koń przepracował wiele lat pod ziemią. Pewnego razu w wąskim chodniku ciągnął wyładowany węglem pociąg. Nagle bardziej usłyszał niż zobaczył, że z naprzeciwka po pochyłości toczą się w jego kierunku inne pełne węgla wa-

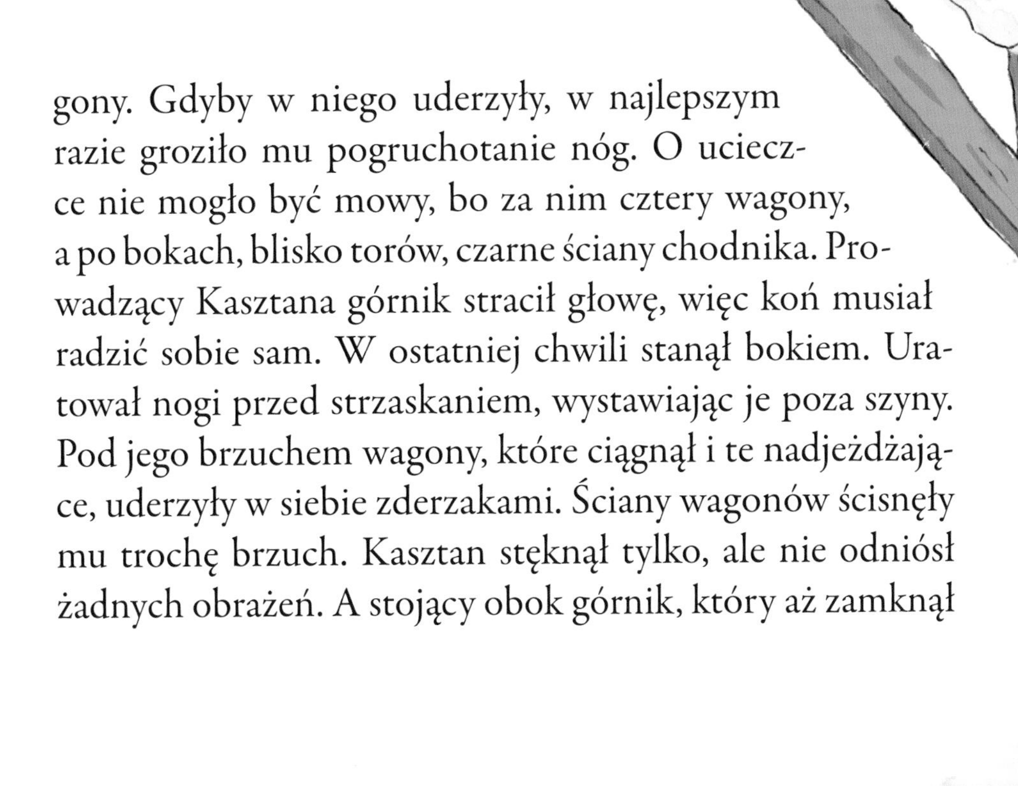

gony. Gdyby w niego uderzyły, w najlepszym razie groziło mu pogruchotanie nóg. O ucieczce nie mogło być mowy, bo za nim cztery wagony, a po bokach, blisko torów, czarne ściany chodnika. Prowadzący Kasztana górnik stracił głowę, więc koń musiał radzić sobie sam. W ostatniej chwili stanął bokiem. Uratował nogi przed strzaskaniem, wystawiając je poza szyny. Pod jego brzuchem wagony, które ciągnął i te nadjeżdżające, uderzyły w siebie zderzakami. Ściany wagonów ścisnęły mu trochę brzuch. Kasztan stęknął tylko, ale nie odniósł żadnych obrażeń. A stojący obok górnik, który aż zamknął

oczy, żeby nie widzieć tego, co się stanie, nie mógł potem uwierzyć, że koń tak sprytnie sobie poradził.

– Sam bym tego lepiej nie wymyślił – powtarzał w kółko, patrząc z niedowierzaniem na stojącego w poprzek torów konia.

Kasztan w ogóle miał szczęście, bo należał do tych nielicznych koni, które opuściły kopalnię, zanim straciły wzrok. Ostatnie lata swego życia spędził na wsi, pomagając w tartaku. Ale nie od razu tam trafił. Po opuszczeniu ciemnych, podziemnych korytarzy musiał najpierw przywyknąć do światła i nauczyć się biegać i skubać trawę. W kopalni, gdzie spędził większość swojego życia, nie miał okazji tego robić.

– Czy może być coś smutniejszego niż koń, który nie potrafi biegać i skubać trawy? Przecież to tak, jakby ryba nie umiała pływać – westchnął pan Bronek. Po czym widząc za oknem dorożkarskiego konia, brązowego jak wyjęte z łupiny kasztany, poklepał go w myślach po szyi i pogładził delikatnie po miękkich, jedwabistych chrapach.

CYNAMON

Było późne popołudnie. Na rynku, jedna za drugą, stały gotowe do drogi dorożki. Konie podzwaniały uprzężami i leniwymi machnięciami ogonów przeganiały muchy. Dorożkarze przysiedli na pobliskiej ławce i w oczekiwaniu na pasażerów zapalili papierosy. Czas mijał, ogony omiatały końskie grzbiety, smużki dymu unosiły się nad ławką, a chętnych na przejażdżkę jak nie było, tak nie było. Przez chwilę wydawało się, że mężczyzna, który niósł pod pachą skrzypce w czarnym futerale, wsiądzie do jednej z dorożek. Ale nawet nie spojrzał na wyścielone aksamitem siedzenia, tylko przystanął obok konia i poklepał go przyjacielsko po karku. Cynamon, bo tak nazywał się ten wielki, brązowy koń, od razu obwąchał mu kieszenie w poszukiwaniu cukru.

– Zobacz no, Feliks, jakiś gość kręci się koło twojego Cynamona – zauważył jeden z dorożkarzy.

– A, to ten muzyk – machnął ręką pan Feliks. – Zawsze jak widzi moją dorożkę na rynku, podchodzi, by się przywitać i raz jeszcze podziękować Cynamonowi.

– A jaką to przysługę wyświadczyło mu to twoje uparte konisko? – spytał stary dorożkarz, uśmiechając się pod wąsem.

Pan Feliks dobrze wiedział, że koledzy za jego plecami pokpiwali sobie z Cynamona. Bo też miał jego koń taki szczególny nawyk, którego nijak nie można było go oduczyć. Mianowicie – zawsze równo o jedenastej zawracał do stajni. Nieważne, czy był o tej porze na pastwisku, czy na środku ruchliwej ulicy. Bezbłędnie odgadywał, w którą stronę musi pójść, by trafić do domu i nic nie było w stanie go zatrzymać. Pan Feliks najpierw próbował dogadać się z Cynamonem po dobroci, potem groził mu batem – wszystko na nic. Punktualnie o jedenastej koń biegł kłusem do stajni, a sąsiedzi, widząc go, mogli sobie regulować zegarki. W końcu pan Feliks dał za wygraną i zaprzęgał konia do dorożki dopiero w południe. Zresztą, niewiele tracił, bo rano i tak ruch na rynku był nieduży. Za to po południu Cynamon sprawował się bez zarzutu.

– Ano, jeśli chcecie wiedzieć – zaczął pan Feliks – pewnego razu trafił mi się wyjątkowo dobry kurs. Miałem wieźć do ślubu młodą parę. Wyszykowałem pięknie konia, wyczyściłem dorożkę, aż lśniła jak nowa, i założyłem mój najlepszy kapelusz. Wszystko było dobrze, dopóki nie okazało się, że młodzi chcą jechać do ślubu o wpół do jedenastej, a sama ceremonia ma się odbyć przed południem.

Pan Feliks przerwał na chwilę opowieść, a jego koledzy poszturchiwali się łokciami i kiwali głowami, jakby z góry wiedzieli, że Cynamon i tym razem postawił na swoim.

– Marnie nam się wtedy wiodło – ciągnął dalej – a za ten kurs pan młody obiecał zapłacić okrągłą sumkę, więc postanowiłem, że pojedziemy. Miałem nadzieję, że Cynamon już trochę zmądrzał i zapomniał o tym swoim głupim zwyczaju zawracania do stajni. Zresztą byłem pewien, że nawet jakby mu coś strzeliło do głowy, to tym razem dam sobie z nim radę.

– I co? Co było dalej? – dopytywali dorożkarze.

– Ano na początku wszystko szło jak z płatka. Cynamon ciągnął dorożkę z ochotą. Z tyłu, na aksamitnych siedzeniach pan młody w garniturze i pod krawatem ściskał za rękę pannę młodą. Ta, cała w bieli, z bukiecikiem kwiatów, wyglądała jak najprawdziwszy anioł. Przez całą drogę się nie odezwała, tylko oczy spuściła i te swoje kwiatki wąchała. Pan młody pewnie myślał, że los zesłał mu narzeczoną skromną i łagodną jak baranek. Coś jej tam szeptał do uszka, a ona się rumieniła i leciutko uśmiechała. Aż tu nagle wybiła jedenasta i Cynamon stanął jak wryty. Szarpnąłem za lejce, świsnąłem batem i cmoknąłem zachęcająco.

– Wio, wio, koniku! – powtarzałem najpierw łagodnie, potem coraz głośniej i ze złością.

Cynamon owszem, ruszył, tyle że do tyłu. Cofnął się kilka kroków, a potem zgrabnie zawrócił i głuchy na moje pokrzykiwania popędził do stajni.

Z każdą chwilą panna młoda denerwowała się coraz

bardziej. Wierciła się i rozglądała na boki. Wreszcie nie wytrzymała, zerwała się na równe nogi i dawaj się kłócić. Nazwała mnie tępym baranem, starym durniem i zażądała, żebym zatrzymał tę, jak się wyraziła, „stukniętą szkapę". Próbowałem jej wyjaśnić, że Cynamon stanie dopiero przed drzwiami stajni i nic tego nie zmieni, ale ona nie chciała słuchać. Już nie wyglądała jak aniołeczek. Poczerwieniała, welon jej się przekrzywił i w końcu ze złości zaczęła tupać tak mocno, że o mało dziury w podłodze

nie wybiła. Wrzeszczała przy tym i przeklinała tak, że słynący ze swoich przekleństw szewcy wiele mogliby się od niej nauczyć. Potem zaczęła okładać swego narzeczonego wiązanką ślubną po głowie.

– A ty czego tak siedzisz?! Co z ciebie za chłop?! – krzyczała. – Zróbże coś! Zatrzymaj tę zbzikowaną chabetę!

Po tych słowach Cynamon zarżał, skulił uszy i wyraźnie przyspieszył, a pan młody na przemian to bladł, to się czerwienił.

– Wszyscy na nas czekają! I ksiądz! I organista! Goście pewnie już plotkują! Co za wstyd! A ciebie to nic nie obchodzi! Pewnie, ciebie obchodzą tylko te idiotyczne skrzypce! Gdyby to o nie chodziło, nie siedziałbyś tak spokojnie! Poczekaj, łamago – wysyczała, pochylając się nad nim – zaraz po ślubie rozwalę je w drobny mak, najchętniej na twojej głowie!

Pan młody skulił się i wytrzeszczył oczy na tę wygrażającą mu piekielnicę. W niczym nie przypominała już skromnej gołąbeczki, z którą miał zamiar się ożenić.

Gdy zajechaliśmy przed stajnię, Cynamon wreszcie się zatrzymał i jakby nigdy nic zaczął skubać rosnącą pod płotem trawę. Panna młoda wyskoczyła z dorożki, wrzasnęła, że jeszcze się ze mną policzy i poleciała szukać telefonu, by dzwonić po taksówkę. Ciągle miała nadzieję, że choć spóźnieni, zdążą wziąć ten ślub. Ja zająłem się wyprzęganiem

Cynamona, a pan młody poklepał go serdecznie, kiwnął mi na pożegnanie i pobiegł w przeciwną stronę niż jego niedoszła żona. Zdążył w ostatniej chwili, bo zaraz potem podjechała taksówka i ta piekielnica szukała go chyba przez godzinę, jeżdżąc po okolicy, ale na próżno. Ja też nie sądziłem, że go jeszcze kiedykolwiek zobaczę.

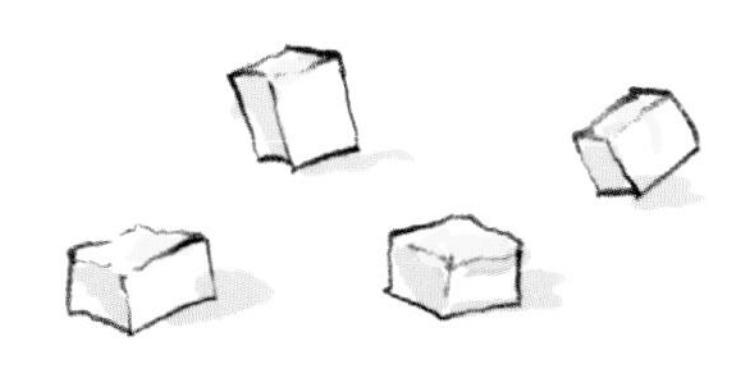

Aż tu pewnego razu stałem właśnie na postoju, a on podchodzi, wita się, a Cynamonowi kilogram cukrowych kostek wpycha do pyska. Przegadaliśmy chyba z godzinę. Właśnie wtedy opowiedział mi, że jest skrzypkiem i gra w filharmonii, a Cynamon jest jego wybawcą i najmądrzejszym koniem na świecie.

– Gdyby nie on – poklepywał Cynamona po karku – popełniłbym największy błąd w swoim życiu. Strach pomyśleć, co by było, gdyby nie zawrócił wtedy do stajni. Dopiero kiedy narzeczona obiecała, że roztrzaska mi skrzypce na głowie – przejrzałem na oczy. Ona od tego czasu już trzech mężów zmieniła. Jednego podobno wpędziła do grobu, a pozostali dwaj sami od niej uciekli. Nie mieli tyle szczęścia co ja, bo nie trafili na Cynamona – pokiwał z przekonaniem głową.

– Choć jeden raz zwariowany zwyczaj tego konia na coś się przydał – mruknął kolega pana Feliksa.

– Ale to nie wszystko – ciągnął stary dorożkarz – ten muzyk poznał w filharmonii śliczną pannę, która gra tam na harfie i nie nazywa go łamagą. Wiozłem ich zeszłego roku do ślubu. Na szczęście uroczystość zaplanowali na trzynastą, więc obyło się bez niespodzianek i pod kościół zajechaliśmy

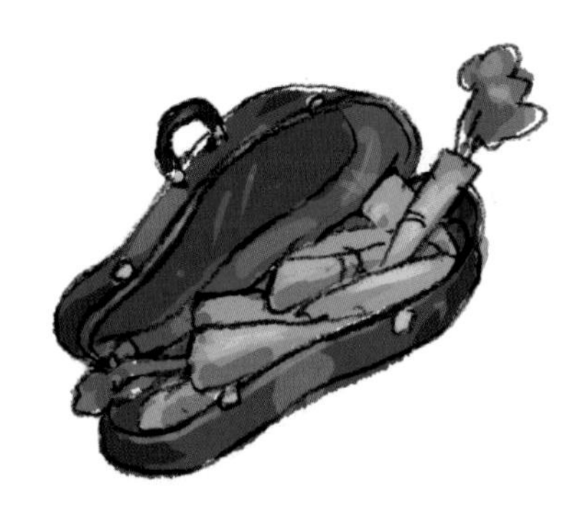

z fasonem. Panna młoda wyglądała tak pięknie, że sam chętnie bym się z nią ożenił. I nie złościła się nawet wtedy, kiedy Cynamon zżarł połowę kwiatków z jej ślubnej wiązanki – zakończył opowieść pan Feliks i podniósł się z ławki. Obok jego dorożki, ze skrzypcami pod pachą, ciągle stał zaprzyjaźniony muzyk. Uśmiechając się od ucha do ucha, podzielił się z panem Feliksem dobrą nowiną:

– Musi pan wiedzieć, że wczoraj moja żona urodziła synka! Jaki to śliczny i mądry chłopczyk! A jakie ma długie paluszki! Wyrośnie z niego pianista, drogi panie, wielki pianista! – wykrzykiwał. – A na imię będzie miał Feluś. – Tu muzyk spojrzał znacząco na pana Feliksa. – No wie pan, na pamiątkę.

– Pewnie najchętniej dałbyś pan temu pianiście na imię Cynamonek – zażartował dorożkarz.

A Cynamon, podobno jedyny koń, który zna się na zegarze, zarżał radośnie. Było jasne, że gotów jest wozić na spacery małego Felusia-Cynamonka choćby codziennie. Tylko – z wiadomych względów – nie o jedenastej.

WIERZGAJ

Jest coś takiego w konikach na biegunach, że dzieci od razu chcą wdrapać się na ich grzbiet i zanurzyć paluszki w mięciutkiej grzywie. Nie obejdzie się też bez głaskania, poklepywania i tarmoszenia za ogon. A gdy konik się rozkołysze, wystarczy przymknąć na chwilę oczy, by poczuć się jak najprawdziwszy rycerz, kowboj albo Indianin. Mateusz najchętniej w ogóle nie schodziłby ze swojego rumaka. Nazwał go Siwek, bo konik był cały biały jak broda dziadka, tylko grzywę miał szarą, ale za to pięknie pofalowaną. Karmił Siwka na niby kostkami cukru i pochylając się raz do przodu, raz do tyłu, galopował, pokrzykując:

– Wio, koniku! Wio!

Konik błyskał szklanym okiem i bujał się z całych sił. Mateuszek popędzał go, wymachując wielką, drewnianą łyżką. Był pewien, że tak właśnie robią prawdziwi kowboje. Marzył o tym, żeby jego koń był choć trochę dziki, żeby kopał, parskał i stawał dęba. Ale Siwek nie chciał szaleć i skakać po całym pokoju, tylko uparcie kołysał się w kącie pod oknem.

To i tak było lepsze niż zabawa małymi plastikowymi konikami, które trzeba było trzymać w ręce i przesuwać po podłodze, postukując kopytkami. Można było przy tym powtarzać: „patataj, patataj" i czasami podnosić figurkę wysoko, udając, że skacze. Mateusz miał też jednego konika ze szkła, któremu po zderzeniu z nogą od stołu odpadło ucho i popękała szklana pupa. Stał teraz na półce obok kolorowych koników z plasteliny. Te, co prawda, nie mogły się rozbić, ale Mateusz ulepił im duże, okrągłe brzuchy i krótkie, grube nóżki, tak że z daleka wyglądały trochę jak hipopotamy. A kiedy podczas zabawy zbyt mocno ściskał je paluszkami, zamieniały się w śmieszne kulki z ogonkami. W porównaniu z nimi konik na biegunach był jednak fajniejszy, nawet jeśli nie brykał i nie przeskakiwał przez stoły i krzesła.

Pewnego razu Mateuszek jak zwykle kołysał się na Siwku. Jak na prawdziwego kowboja przystało, miał za paskiem dwa pistolety, a na głowie stary kapelusz dziadka z szerokim rondem. Wymachiwał w powietrzu paskiem od szlafroka, udając, że łapie na lasso dzikie bizony. Polowanie trwało w najlepsze, bizony uciekały w popłochu, a największy schował się za szafą, gdy nagle Mateusz zobaczył w pokoju konika w paski. Tak naprawdę to do pokoju wszedł tata w pasiastej piżamie. Na czworakach zaczął zbierać rozsypane po dywanie spinacze. Kiedy tak klęczał pochylony, w oczach Mateusza wyglądał jak najprawdziwszy koń. Mateuszek

w jednej chwili porzucił Siwka i wdrapał się na ciepły, szeroki grzbiet. Lasso zamieniło się w koński ogon, który przypiął tacie agrafką do piżamowych spodni.

– Dobry konik, dobry – powiedział, poklepując tatę po głowie.

Uznał, że jego nowy koń będzie nazywał się Wierzgaj i stosownie do swego imienia zacznie zaraz podskakiwać i miotać się na wszystkie strony. Żeby go do tego skłonić, okładał Wierzgaja po bokach wielką, drewnianą łyżką i cmokał zachęcająco. Na nic zdały się protesty taty, który upierał się, że nie jest koniem. W końcu zrozumiał, że nie ma racji, zarżał, stanął dęba i ku radości Mateuszka ruszył galopem przez pokój. A gdy przeskoczył przez rozrzucone po podłodze klocki, dostał w nagrodę kostkę cukru. Mateusz nie mógł się nachwalić swojego konia, który skręcał i zatrzymywał się na zawołanie. Ale najbardziej się cieszył, kiedy Wierzgaj znienacka brykał i próbował go zrzucić.

– A teraz pobawimy się w wyścigi – zarządził Mateusz. – Zadzwonię do Bartka, żeby przyszedł ze swoim tatą. Bartek pojedzie na nim, a ja na tobie. Będzie super! Na pewno wygramy!

Trudno w to uwierzyć, ale Wierzgaj nie chciał się ścigać. Zrzucił swego jeźdźca i tak długo go łaskotał, dopóki Mateuszek nie obiecał, że przesiądzie się z powrotem na Siwka. Nie miał wyjścia, musiał tak zrobić, bo wiadomo, że łaskotki i chichoty są w jakiś dziwny sposób połączone z niedającymi się zatrzymać sikami i im więcej śmiechu, tym prędzej może dojść do katastrofy. A przecież takie rzeczy nie przytrafiają się kowbojom. Za to Wierzgaj, kiedy już się wyprostował i znowu był tatą, obiecał, że jak Mateuszek trochę podrośnie, to wybiorą się do stadniny i tam będzie mógł jeździć na prawdziwym kucyku. Teraz Mateusz czeka, aż urośnie, i ma nadzieję, że ten prawdziwy koń będzie choć trochę podobny do Wierzgaja.

Spis treści:

69

Wydawnictwo Literatura
poleca

www.wyd-literatura.com.pl

www.wyd-literatura.com.pl